La ciudad en las nubes

La ciudad en las nubes

por Tony Abbott

Ilustrado por Tim Jessell

SCHOLASTIC INC.
New York Toronto London Auckland Sydney
Mexico City New Delhi Hong Kong Buenos Aires

Originally published in English as *The Secrets of Droon: City in the Clouds*

Translated by Iñigo Javaloyes

Book design by Dawn Adelman

ISBN 0-439-78798-X

12 11 10 9 8 7 6 5 4 3 2 1 5 6 7 8 9 10/0

Printed in the U.S.A.

First Spanish printing, September 2005

A Debbie O'Hara,

con mucho cariño

Contenido

La ciudad en las nubes

Uno

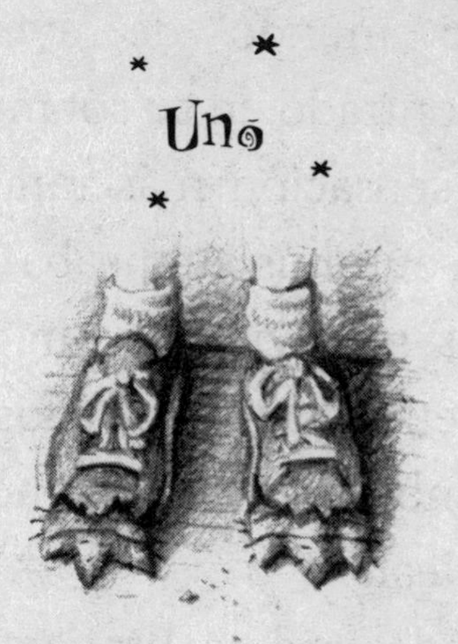

Vuelve el encantamiento

Había terminado otro día de escuela.

Eric y sus dos mejores amigos, Neal y Julie, regresaban a casa en el autobús.

—Ya han pasado dos semanas desde que regresamos de ya sabes dónde —susurró Julie, que iba sentada al lado de Eric.

Eric sonrió. Sabía muy bien a qué lugar se refería.

Se trataba de Droon, el fascinante y

ultrasecreto mundo de aventuras que habían encontrado en su sótano.

—Qué sensación más rara —dijo Eric mientras el autobús arrancaba—. Tenemos todos estos maravillosos amigos y ni siquiera podemos hablar de ellos.

—Y también enemigos, no lo olvides —añadió Neal.

Es verdad. Desde su primera aventura en Droon habían conocido a Galen Barbalarga, un viejo y poderoso brujo, y a Max, su secretario arácnido. También recibieron ayuda de Khan, el rey de unas extrañas criaturas llamadas lumpis que tenían forma de almohada.

Sin embargo, su amiga más especial en Droon era la princesa Keeah, una aprendiz de brujo que luchaba para evitar que el malvado Lord Sparr y sus enrojecidos nins le arrebataran su mundo.

—Me pregunto qué estará haciendo Keeah —dijo Eric—. Me muero de ganas por volver.

—Y yo me estoy muriendo de picor —dijo Neal, que en ese mismo instante empezó a rascarse las piernas—. No sé por qué será, pero el caso es que no han dejado de sucederme cosas extrañas todo el día, por no hablar de las vocecitas que oigo sin parar.

Fue entonces cuando sucedió.

¡Pop!

—¡Mira eso! —dijo Eric casi sin aliento mientras señalaba los zapatos deportivos de Neal.

Neal se agachó a mirar. En ese instante sus cordones se estiraron y se rompieron uno a uno. Uno de sus zapatos se rompió a la altura del dedo gordo, y algo de color pardo y brillante se asomó por el agujero.

—Neal —dijo Julie—, ¿qué les pasa a tus zapatos? ¿Se les está saliendo el relleno o qué?

Eric tragó saliva y dijo: —Me temo que eso es su pie.

—No, no es mi pie —dijo Neal—. Parece un pie de insecto... un pie de... un momento. ¡Sí, eso *es* mi pie! ¡Tengo un pie de insecto! ¡No! ¡Me convertiré de nuevo en un insecto!

Los demás niños que iban en el autobús se voltearon y empezaron a reír.

Julie dejó caer su mochila sobre el pie de Neal para que nadie lo viera.

—¡Caramba! —susurró Eric—. ¡Ya sé lo que está pasando! Neal, prepárate. Ha vuelto.

Neal frunció el ceño y preguntó: —¿Qué es lo que ha vuelto?

—El encantamiento de los insectos —dijo Eric.

—¿Qué? —replicó Neal alarmado—. Yo creí que ese encantamiento había desaparecido.

—Parece haber vuelto —dijo Julie.

Durante su última aventura en Droon, Neal fue víctima de un encantamiento fallido, y acabó convertido en un insecto, una cría de insecto con una coraza dura y parda, seis patas y unas largas antenas que se enrollaban y se movían de un lado a otro.

Y ahora estaba sucediendo de nuevo.

¡Iiiii! El autobús se detuvo y las puertas se abrieron.

—Solamente podemos ir a un sitio —dijo Eric agarrando a Neal y arrastrándolo a la calle—. Y ese sitio es mi sótano. Apúrense. Hay que regresar a Droon.

Los tres amigos corrieron juntos por el jardín hacia el sótano de la casa de Eric.

—Por algún motivo, el encantamiento

no ha desaparecido —dijo Julie con un gesto de preocupación—. Pero tranquilízate Neal, Droon es el lugar más mágico del universo. Lograremos curarte.

—Esto no durará para siempre —agregó Eric.

—¿Para siempre? —gritó Neal—. ¡Qué asco!

Corrieron hacia la puerta trasera y la abrieron. Eric se llevó un dedo a los labios.

—Nadie puede verte así, Neal —dijo, e hizo una pausa para escuchar.

Julie asintió con la cabeza y añadió:

—Tenemos que ser más silenciosos que...

—¿Que un insecto? —bromeó Neal—. Eso es pan comido.

Al fondo se escuchaba un teclado de computadora.

—Mi mamá está trabajando —dijo Eric,

y entonces gritó a todo pulmón—. ¡Mamá, estoy en casa! ¡Julie y Neal están conmigo! ¡Nos vamos abajo! ¡Adiós!

Los tres pasaron por la cocina a toda prisa.

Por el camino, Neal limpió con la mano unas migas de pan que había sobre la mesa.

—Lo siento —dijo—. De pronto las migas de pan me parecen de lo más apetitosas.

Eric estaba preocupado.

—Esto no me gusta un pelo —dijo—. La magia sólo había ocurrido en el sótano de mi casa... hasta ahora.

—Ya pensaremos en eso cuando hayamos curado a Neal —dijo Julie cerrando la puerta. Los tres amigos bajaron al sótano.

—Veamos —dijo Julie—. ¿Alguno de ustedes ha soñado con Droon?

Eric dijo que no.

Normalmente, los amigos de Droon les pedían que acudieran a su mundo a través de sueños.

Otras veces, la pelota de fútbol que Eric mantenía en el sótano se convertía en un mapamundi de Droon. La princesa Keeah la había encantado.

La pelota, sin embargo, estaba en el banco de herramientas. Parecía una pelota normal y corriente.

—No recuerdo ningún sueño —dijo Neal—. A menos que contemos aquel en que un lagarto estuvo a punto de devorarme.

Julie miró a Eric con preocupación y dijo: —Eso es más que suficiente. Ven.

Fueron a la puerta que había bajo las escaleras del sótano. Eric la abrió y encendió la luz. Todos se apretujaron en la pequeña habitación. Eric cerró la puerta.

—¿Preparados? —preguntó.

Neal levantó la mano derecha. Sus dedos habían empezado a transformarse en una horrenda garra.

—No sé tú —dijo—, pero desde luego que yo sí.

Julie apagó la luz.

¡Fiuuusss! En ese mismo instante desapareció el piso y aparecieron las escaleras mágicas. Sin perder un instante, Eric bajó corriendo las escaleras.

Todas las veces que Eric y sus amigos habían visitado Droon, aquellas escaleras los habían llevado a un sitio diferente. Se preguntaban adónde los llevaría en esta ocasión.

—¡Veo nubes! —dijo Julie—. ¡Estamos en el cielo!

Brruum. Se escuchaban truenos.

—Parece como si algo se acercara —dijo Neal.

De pronto, las nubes se despejaron. Algo redondo y plateado pasó lentamente bajo el último escalón.

—¡Mira! Es una cosa voladora enorme —dijo Julie. Los escalones de colores empezaron a desvanecerse bajo sus pies.

—Los escalones desaparecen muy rápido, como siempre —dijo Eric, y agarró a sus amigos de la mano—. Será mejor que saltemos.

Saltaron juntos.

¡Plinc! ¡Plonc! ¡Plunc! Cayeron sobre la nave.

—¡Allí hay una compuerta! —gritó Julie.

Una ráfaga de viento gélido sopló mientras gateaban por la superficie plateada hacia la compuerta.

—Está cerrada con llave —gritó Eric, esforzándose por abrirla.

Neal se asomó. Después, sujetó la esquina de la compuerta con su garra y la torció.

¡Crrunch! La compuerta se abrió. Los amigos vieron una escalera de metal que descendía hacia el interior de la nave.

—Seré un insecto, pero tengo tremenda fuerza —dijo Neal—. ¡Adelante!

Uno por uno, los tres amigos bajaron hacia el interior de la extraña nave voladora.

Dos

La nave plateada

Eric se estiró hasta alcanzar la compuerta retorcida y tiró de ella hasta cerrarla.

—Bueno, sabemos que estamos en una nave voladora. La cuestión es saber a quién le pertenece y hacia dónde va.

Los tres amigos miraron a su alrededor. Estaban en un pasillo estrecho. Las paredes eran del mismo material plateado que el exterior del aparato.

—Estoy recuperando mis instintos de insecto —dijo Neal, y señaló con el dedo hacia adelante—. Por aquí oigo voces, aunque no las reconozco.

—Investiguemos —dijo Julie.

Los amigos avanzaron lentamente por el pasillo. Neal caminaba como un insecto. Eric lo seguía de cerca.

Llegaron a una esquina del estrecho pasillo.

—Ay, no —dijo Julie, deteniéndose en seco.

En la pared, sobre ellos, colgaban en fila armaduras negras de metal que brillaban con la luz.

—¡Son armaduras de nin! —exclamó Eric—. Hay nins a bordo, quizás esté Lord Sparr.

—Amigos, estamos en territorio enemigo —concluyó Neal.

Toda la nave empezó a estremecerse.

Era como si estuviera cambiando de dirección.

Eric y sus amigos avanzaron lentamente hasta una gran puerta de metal que tenía una rueda.

—Esta es una compuerta tamaño nin —susurró Eric—. Vamos.

Eric giró la rueda y entreabrió la compuerta.

Los amigos se asomaron a una gran cabina circular repleta de guerreros nin. Los nins manipulaban los mandos de la gran nave.

Eric tembló. Todos permanecieron quietos.

Un nin se acercó a un sillón rojo. Los niños no podían distinguir quién estaba sentado en él.

—El rey Zello y su hija se dirigen a la ciudad de Ro, mi señor —rugió el guerrero—. ¿Qué desea que hagamos?

—Fija el rumbo hacia el valle —replicó una voz conocida.

—¡Es Lord Sparr! —susurró Eric alarmado.

—Muy pronto tendremos los diamantes mágicos —gruñó el nin confiado—. ¡Millones de ellos!

—Los diamantes nos serán útiles —dijo Sparr—, pero lo que realmente deseo de la ciudad de Ro es una simple palabra...

Eric frunció el ceño. *¿Una palabra? ¿Qué palabra?*

Las nubes rosadas iban desapareciendo a medida que la nave descendía. Desde la ventana de la cabina se veía un mundo de montañas blancas. Aquí y allá serpenteaban ríos de aguas plateadas. Al frente se extendía un gran valle, muy llano, rodeado de árboles de color azul y violeta.

Era el mundo de Droon.

¡Pop! El otro zapato de Neal empezó a rajarse.

—¡Qué horror! —exclamó Neal en voz alta; demasiado alta.

Sparr se levantó de su trono de un brinco y se dio la vuelta. Sus ojos destellaron al ver a los niños.

—¡Espías! ¡Atrápenlos!

En un instante, tres enormes nins se precipitaron hacia los niños y los agarraron.

Los guardias rojos sujetaron a los tres amigos con fuerza.

—¡Suéltanos, Sparr! —exclamó Julie.

Sparr soltó una carcajada y dijo: —¡Eso es precisamente lo que pienso hacer! Nins, llévenlos a la plataforma.

La cabeza calva del brujo brillaba como el acero y tenía unas pequeñas aletas oscuras detrás de las orejas.

—¿Acaso pretendes que hablemos? —preguntó Eric.

—No —dijo Sparr—. Lo que pretendo es que vuelen.

Sin más, los inmensos guerreros rojos los llevaron a trompicones por el pasillo.

—¿Adónde nos llevan? —preguntó Neal.

—¡Pronto lo sabrás! —respondió uno de los nins, dejando escapar una risa burlona. El guerrero presionó un botón de la pared y *¡fiuuusss!*, se abrió una compuerta lateral de la nave.

De pronto los niños se vieron en una pequeña plataforma de metal que sobresalía de la nave.

El viento aullaba con furia.

—Vaya —dijo Eric—. Esta plataforma no tiene muy buena pinta que digamos.

—La llamamos Plataforma de Despedida —dijo uno de los guerreros con una risa gutural. Sus pequeños ojos negros parecían

canicas diminutas clavadas en su rostro gordinflón.

—¡Nosotros les decimos "adiós" y ustedes saltan! —dijo otro.

—¿Y si no podemos volar? —preguntó Julie.

—*¡Cataplof!* —contestó el tercer nin con una risa malévola.

Los niños se miraron a los ojos.

—En fin, creo que empiezo a preocuparme —dijo Neal.

—¿Ahora? —le gritó Julie.

Y de pronto, *¡tracablam!*, la nave hizo un movimiento brusco.

¡Ca-blam! ¡Buum! Haces de luz azulada surcaron el cielo. Docenas de naves rechonchas de color morado empezaron a aparecer entre las nubes.

Las naves eran pequeñas, redondas y muy rápidas. Dos alas sobresalían a cada lado de una esfera transparente.

—¡Son lumpis! —exclamó Julie.

Los nins gruñeron y corrieron hacia dentro. La puerta de metal se cerró al instante. Los niños quedaron atrapados en la plataforma exterior de la nave.

—Ahora estoy verdaderamente preocupado —dijo Neal—. Seguro que vamos a *cataplaf*.

De pronto, una de las naves moradas surgió de debajo de la plataforma y subió rápidamente. Su cabina transparente se abrió. Había dos siluetas en su interior.

—¡Salten, rápido! —gritó el piloto.

Los chicos saltaron.

—¡Upa! ¡Yupi!

La nave ascendió y dio un amplio círculo hacia las nubes rosadas, y los chicos se precipitaron hacia unos almohadones morados. Los tres cayeron junto a una pequeña criatura morada con cara de almohadón.

Aquel extraño ser tenía unas mejillas

regordetas, como si estuviera mascando cien chicles al mismo tiempo.

—¡Es Khan! —gritó Eric.

—El rey de los lumpis a su servicio —dijo Khan mientras manipulaba los controles de la nave con sus bracitos.

¡Zablam! Desde la parte trasera de la nave les llegó el sonido de una explosión. Los niños vieron a una criatura con casco inclinada sobre un arma extraña.

La nave ascendía dejando a su paso unos tremendos haces de luz azulada. La nave de Sparr cambió el rumbo y se alejó.

—¡Lumpis uno, Sparr cero! —exclamó Khan con alegría.

—Tu ayudante es muy hábil —le dijo Julie a Khan—. ¡Quienquiera que sea tiene una puntería asombrosa!

—No debe extrañarte —dijo Khan guiñando un ojo—. Es la princesa Keeah.

Tres

La ciudad flotante de Ro

La princesa Keeah se quitó el casco. Al hacerlo, la melena rubia cayó sobre sus hombros.

—¡Qué gusto volver a verlos! —dijo—. Sparr nos atacó cuando viajábamos a la casa de mi padre. ¿Y ustedes qué hacen aquí?

Neal levantó su pata y dijo: —Parece que el encantamiento de nuestro último viaje... no ha desaparecido del todo.

—Ay, ay, ay —suspiró la princesa.

—Además —dijo Eric—, nos hemos enterado de que Sparr está planeando un robo de diamantes en un lugar llamado Ro.

Keeah miró al líder de los lumpis.

—No hay tiempo que perder —dijo Khan, y tiró de una palanca que hizo ascender la nave hasta el interior de los nubarrones rosados.

—¿Qué pasa? —preguntó Julie.

Keeah se volteó hacia sus amigos y dijo:

—Mi padre y yo íbamos a reunirnos con Galen y Max en la ciudad de Ro para averiguar dónde está mi madre.

Eric hizo un gesto de aprobación. En una de sus anteriores aventuras se habían enterado de que la madre de Keeah, la reina Relna, no había muerto como todos creían. Una bruja les dijo que estaba viva.

—¿Dónde está la ciudad de Ro? —preguntó Julie.

—En todas partes —respondió Keeah—.

Ro es una ciudad flotante. Vuela permanentemente sobre los cielos de Droon.

—¡Qué maravilla! —dijo Neal rascándose el cuello.

—Supermaravilloso, como dicen ustedes —añadió Khan—. Y Sparr solo podrá atacar la ciudad hoy.

—¿Y por qué precisamente hoy? —preguntó Eric.

Khan inclinó aun más hacia arriba el morro de la nave.

—Ro está protegida por un conjuro de invisibilidad —dijo.

—Menos un día al año —prosiguió Keeah—, en que la ciudad entera desciende al valle de Kalahar a recoger diamantes. Esas piedras preciosas son las que le dan a la ciudad el poder de la invisibilidad.

—Esos son los diamantes que busca Sparr —dijo Julie.

Eric se acercó a la ventana de la nave.

Desde allí se veía un enorme pájaro blanco que planeaba junto a la nave espacial.

—¡El halcón blanco! —dijo. El muchacho recordó que lo habían visto durante sus anteriores expediciones a Droon.

—El halcón siempre nos acompaña y nos vigila —dijo Keeah con una sonrisa. A continuación se volteó hacia Neal—. Siento mucho que haya vuelto el encantamiento, pero tienes suerte. Los Guardianes viven en Ro. Son muy ancianos y muy sabios. Saben más que nadie en el mundo. Ellos te ayudarán.

Khan bufó y dijo: —Sí, pero debemos darnos prisa. A medianoche, Ro vuelve a desaparecer. Y si no logramos salir a tiempo, nos quedaremos encerrados allí durante un año.

La pequeña nave se deslizó sobre una cordillera de cumbres nevadas y descendió hacia una llanura desierta.

Poco después, Khan aterrizó en la parte exterior de un anillo de colinas.

—El Valle de Kalahar se encuentra al otro lado de estas colinas —dijo Keeah al bajar de la nave—. Adelante.

Con la caída de la tarde, el grupo de amigos se arrastró por un pasadizo angosto que llevaba al interior del valle.

—¡Guau! —exclamó Julie al llegar al precipicio donde terminaba el pasadizo.

Divisaban todo el valle, que estaba invadido de cientos de guerreros nin. Estaban armados con arcos, flechas y espadas. Los acompañaban docenas de lagartos alados llamados gróguels.

De pronto, los guerreros rojos dieron un alarido. Miraron hacia el cielo y vieron la nave plateada de Sparr, que descendía en círculos hacia el valle.

Y eso no es nada comparado con lo que sucedió después.

Al otro lado del valle, las nubes rosadas se empezaron a abrir lentamente. Por encima de la colina se divisaba una ciudad gigante. Era como si la hubieran arrancado de la tierra. Y entonces, muy lentamente, empezó a descender hacia el centro del valle.

—¡Ro! —suspiró emocionada Keeah—. Espero que mi padre haya conseguido llegar hasta allí sano y salvo. Y Galen y Max también.

—Es asombrosa —exclamó Eric.

La ciudad estaba construida sobre un enorme disco flotante que se extendía por kilómetros y kilómetros.

Torres de formas caprichosas se elevaban en espiral hacia el cielo. La ciudad estaba surcada de lado a lado por una infinidad de puentes. Y los edificios, de mil diseños, culminaban en cúpulas verdes, rosadas y azules.

¡Y qué luces! La ciudad entera brillaba y resplandecía. Era como si cada pulgada de Ro irradiase luz.

—Ro es una ciudad de paz, gobernada por los seres más sabios de Droon, los Guardianes —dijo Khan.

—Sí, pero Sparr los está esperando —replicó Keeah estremecida.

La ciudad aterrizó con un estruendo ensordecedor y se acopló al valle como si hubiera estado allí toda la vida.

Al aterrizar, un haz de luz blanca que salía de la ciudad se proyectó sobre el valle.

—Están extrayendo diamantes —susurró Khan.

Al instante, millones de diminutos cristales de roca empezaron a fluir hacia la ciudad a través del haz de luz.

—Están excavando con luz —dijo Neal.

—¿Cómo podremos entrar? —preguntó Eric—. Entre la ciudad y nosotros hay todo un ejército de nins.

El rey lumpi empezó a husmear. Los niños recordaron entonces que los lumpis son unos excelentes rastreadores.

—Tenemos suerte —dijo el rey morado—. Huelo una bandada de gróguels salvajes posados cerca. Los nins no lo saben.

—¿Gróguels? —susurró Neal—. Esos lagartos voladores comen insectos como *yo*. ¿Alguien tiene un plan B?

—Tranquilo —dijo Keeah—. Khan es un gran susurrador de gróguels.

—¿Un qué? — preguntó Eric.

—Les hablo al oído —dijo Khan entre risas—. Y ellos me escuchan. La verdad es que los gróguels salvajes de las montañas son buena gente.

Los cinco amigos treparon lentamente

hacia una colonia de gróguels que había hecho nido en el borde del valle.

Vieron que la nave de Sparr volaba en círculos sobre la ciudad gigante y descendía hacia ella. Esa debía ser la señal que esperaban los nins, porque en ese momento saltaron sobre sus propios gróguels. Después, el ejército volador de Sparr salió volando del valle.

—¡Rápido! —grito Keeah—. Ro no tardará en despegar.

¡Psss! Khan susurró unas palabras al oído de un lagarto gigante. El animal gruñó, se inclinó para que todos pudieran subirse a su grupa y despegó, haciendo sonar sus alas gigantes.

Los niños se ciñeron al gróguel con fuerza mientras el lagarto alado se aproximaba a los demás.

Cuatro

En el palacio

Psss, psss, psss. Khan seguía susurrándole instrucciones al oído. El gróguel obedeció y empezó a describir un círculo sobre la ciudad.

—¡Ahí está! —exclamó Keeah—. El palacio de los Guardianes es el que tiene la torre más alta.

Bajo ellos se elevaba un resplandeciente palacio de mármol gris. Desde la parte superior ascendía en espiral una altísima torre. Era el edificio más extraño y más alto de todos los que había en la ciudad.

El gróguel se posó con torpeza en una callejuela próxima al palacio y los niños bajaron rápidamente. Las calles estaban desiertas.

—Los habitantes de Ro son pacíficos —dijo Khan—. Lo más probable es que estén escondidos.

—Lo primero es lo primero —dijo Eric—. Tenemos que encontrar una cura para Neal.

—No —replicó Neal—. Primero debemos detener a Sparr.

—Muchachos, si damos con los Guardianes podremos hacer ambas cosas —dijo Keeah.

—Pues más vale que los encontremos rápido —dijo Julie mirando al cielo—. Ahí llega la nave plateada de Sparr.

Desde una esquina se quedaron

mirando cómo la nave del brujo descendía a una amplia plaza que estaba junto al palacio. Entonces se abrió una compuerta de la nave y surgió el mismísimo Sparr.

—Princesa Keeah —susurró Khan—. Yo iré en busca de su padre para decirle dónde está. Con mi olfato podré escabullirme sin que me detecte Sparr o sus guardias gordinflones.

Los niños le desearon suerte al rey lumpi.

De pronto, la calle empezó a temblar. El empedrado de las calles vibraba con fuerza bajo sus pies.

—¡Estamos volando! —dijo Neal—. Ro está despegando.

Se asomaron entre los edificios y vieron alejarse el paisaje de colinas que los rodeaba. Empezó a hacer frío. Las nubes se deslizaban entre los tejados. Ro volvía al aire.

—Hay que actuar rápido —gritó Julie—. Antes de que sea demasiado tarde.

Sin perder un instante, se colaron en el primer pasadizo que encontraron. Era un lugar frío y oscuro.

—Bueno —dijo Eric—. ¿Y ahora qué? ¿Adónde vamos?

Keeah señaló hacia la oscuridad.

—Mi padre siempre ha dicho que cuando no sepas qué camino tomar, tomes el camino del centro.

—La verdad es que esto es un poco tenebroso —dijo Julie.

—Pues a mí me gusta la oscuridad —dijo Neal—. Es más, puedo ver mejor en ella. Y además oigo voces. Y no son de nins. Creo que este es el camino.

Siguieron a Neal hacia el interior del palacio.

—¿Por qué se hace invisible la ciudad de Ro? —le preguntó Julie a Keeah.

—Para proteger la Torre de la Memoria —respondió la Princesa—. Todo lo que sucede en Droon se escribe en ella. Los Guardianes son los encargados de proteger la Torre y la historia de nuestro mundo que se encuentra en ella. Mi padre y yo tenemos la esperanza de que nos digan cuál es el paradero de mi madre.

—¿Crees que podrán desinsectarme? —preguntó Neal.

—Ese es mi plan —dijo Keah.

—Fantástico —dijo Neal—. Entonces también será el mío.

Los cuatro amigos subieron por unas escaleras a otro nivel del palacio. Aún sentían que la ciudad se elevaba más y más.

Detrás de ellos se escuchaban ecos extraños.

Eric se preguntaba si los nins estarían tras su pista. ¿Sabría Sparr que ya

estaban allí? ¿Y qué haría si daba con ellos? ¿*Cataplof*?

—Los Guardianes son los líderes del pueblo de Ro —añadió Keeah—. Son la última generación de una dinastía de caballeros que se remonta a los primeros días de Droon.

En ese instante, Neal se paró en seco y todos los que venían detrás chocaron en cadena.

—¿Qué pasa? —preguntó Eric.

—El pasadizo termina aquí —respondió su amigo.

—Qué tontería, ¿no? —dijo Julie—. ¿Qué sentido tiene construir un pasadizo que no lleva a ninguna parte?

Keeah no pudo contener la risa.

—Puede que el pasadizo termine aquí, pero el camino continúa —dijo la Princesa, y señaló en la penumbra para que los demás vieran una extraña inscripción que había en lo alto del muro.

—¿Qué es? —preguntó Julie.

—Es una lengua muy antigua —dijo Keeah acercando la mirada—. No conozco todas las palabras pero esta sí. Significa... ¡los Guardianes!

Keeah empujó la pared.

¡Vrrrt! Se deslizó sin dificultad.

Los chicos se colaron por la abertura.

Entraron a un cuarto de techo alto y abovedado.

—Hay algo más sobre los Guardianes que no les mencioné —dijo Keeah—. Son...

—¡Miren! —dijo Julie casi sin aliento.

—¡Guau! —exclamó Eric.

—Me temo que hemos encontrado el lugar donde guardan a los dinosaurios —susurró Neal.

Cinco

Los Guardianes de Droon

En el centro de la habitación había dos enormes reptiles de más de dos metros de altura. Se apoyaban sobre sus patas traseras y mecían sus pesadas colas sobre el piso de baldosas.

Sus brazos cortos terminaban en unas garras tremendas con uñas de veinte centímetros de largo. Sus dientes eran todavía más grandes.

Pero lo más extraño de todo era que

llevaban puestas unas batas de color verde brillante.

—Ejem... propongo que... retrocedamos —dijo Eric.

—Antes de que nos vean —añadió Julie.

Keeah se acercó lentamente a aquellas criaturas.

—¡Ah! —dijo uno de los dinosaurios—. La princesa Keeah y sus amigos del Mundo de Arriba.

—Bienvenidos a la Ciudad de Ro —dijo el otro.

Eric parpadeó.

—¿Ustedes son... dinosaurios? —dijo.

—Terápodos para ser más exacto —dijo uno—. Yo me llamo Bodo.

—Y yo soy Vasa —dijo el otro—. Somos los Guardianes.

Bodo sacó unos lentes de su bata y se los puso. Después se acercó a Neal.

—Tú debes de ser Neal, el muchacho con el problema —dijo.

—¿Cómo sabe mi nombre? —dijo Neal.

—Esta mañana he estado leyendo en la Torre —dijo la criatura—. Sabía que estaban en camino.

—Entonces también sabrá que Sparr está aquí —dijo Keeah—. Y sus nins están por todas partes.

—Sparr ha venido por los diamantes —dijo Vasa—. Quiere usar el poder que tienen para sus malvados fines.

—Entonces debemos darnos prisa —añadió Bodo.

Vasa se puso una garra en la barbilla y empezó a dar vueltas alrededor de Neal.

—Veamos, sí, ya entiendo —dijo—. Tenemos que averiguar qué pasó exactamente en el momento en que te convertiste en insecto. Debes leer lo que ha escrito Quill en la Torre de la Memoria.

—¿Quién es Quill? —preguntó Eric.

—Es nuestra pluma mágica —dijo Vasa—. Quill ha escrito todo lo que ha sucedido en Droon, toda nuestra historia, en una lengua antigua. Lo escribe todo en las piedras de la Torre.

—Y a veces —dijo Bodo entre risas— escribe tan rápido que se anticipa a los acontecimientos.

—¿Cómo es eso? —dijo Keeah extrañada.

Esta vez fue Vasa quien se rió.

—Lo que quiere decir es que a veces escribe lo que todavía no ha sucedido.

—¿Quiere decir que escribe el futuro?

—Ya lo creo —respondió Bodo—, pero lo que nos hace falta ahora está en el pasado.

El guardián escribió algo en un pequeño cuadrado de papel y se lo dio a Neal.

En el papel había un extraño dibujo.

—¿Qué es esto? —preguntó Neal.

—Es tu nombre en una lengua antigua —respondió Bodo—. Y aquí están los nombres de los demás.

Los niños tomaron los papeles. Bodo también les entregó unas herramientas para escribir parecidas a los lápices.

—Princesa, tú has venido aquí por otra razón —le dijo Vasa a Keeah, acercándosele.

—Mi padre y yo queríamos venir para que nos dijeran dónde está mi madre

—respondió ella—. Sabemos que está viva... en algún lugar.

—Relna era, y es, una gran gobernante, lo mismo que tu padre, el rey Zello —dijo Vasa con un gesto amable.

Keeah suspiró profundamente y prosiguió.

—Mi madre se enfrentó a Lord Sparr en la ciudad prohibida de Plud. Desde entonces nadie ha vuelto a verla.

—Princesa, debes buscar este símbolo.

—Es Relna, el nombre de tu madre. También debes buscar este.

—¿Quién es ese? —preguntó Julie.

—Lord Sparr —dijo Eric, sin saber muy bien por qué—. ¿No es así?

Bodo y Vasa se miraron sorprendidos e hicieron un gesto de aprobación.

—Efectivamente, Eric —dijeron—. Estás en lo cierto.

¡Clang! ¡Buum! ¡Blam!

—¡Sparr ha entrado en el palacio! —exclamó Bodo alzando una garra—. ¡Rápido, a la Torre! Llévense estos símbolos. Copien lo que hay junto a ellos y traigan lo que encuentren. Todas sus preguntas obtendrán respuesta.

—¿Y ustedes? —preguntó Keeah.

—Hoy Sparr no nos hará ningún daño —dijo Vasa.

¡Clomp! ¡Clomp!

—¡Nins! —dijo Neal con su voz de insecto—. ¡Ya es demasiado tarde!

—Un simple encantamiento evitará que los capturen —dijo Vasa mientras tomaba un libro de un estante próximo y lo abría—. Keeah, pronuncia estas palabras.

—Solo un verdadero mago —dijo Bodo, asintiendo—, por joven que sea, es capaz de hacer encantamientos. ¡Rápido!

Keeah empezó a leer.

—Belo… gum…

¡Clomp! Los pasos de los nins resonaron en el pasadizo.

—Pelo… mum…

—¿Qué va a pasar? —preguntó Julie.

—Relo… ¡Hum!

¡Fuut… buumf… paaa! En el momento en que las puertas se abrieron, la sala se llenó de un denso humo azulado.

Una docena de antorchas iluminó la pequeña sala. Los guerreros nin entraron y agarraron a Bodo y a Vasa con rudeza.

A continuación, apareció una oscura silueta en el umbral de la puerta. Lord Sparr entró en la sala.

Eric pensó que el brujo empezaría a gritar.

Pensó que los arrojaría de la ciudad voladora. *¡Cataplof!*

Sparr avanzó dando pasos largos hacia Eric y sus amigos.

—Mis nobles guerreros —vociferó Sparr—. ¿Cómo va la batalla?

Eric parpadeó. Suspiró. Miró a sus amigos, Neal y Julie. Casi se atraganta al ver sus caras. Eran anchas y rojas. Gruñían y tenían un aspecto enojado. Luego se miró a sí mismo.

—¡Ung! —gruñó.

¡Eric y sus amigos eran nins!

Seis

Bajo las órdenes de Lord Sparr

Eric se pellizcó el brazo. Su piel era gruesa y sebosa.

—Puaj —dijo.

Neal, Julie y Keeah también se pellizcaron.

—¡Era mejor ser un insecto! —susurró Neal.

—El rey Zello y los lumpis han aterrizado —dijo Sparr—. ¿Cómo va nuestro plan de ataque?

—Um... bastante bien —dijo Neal con una voz gutural.

—¿Cómo que bien? —replicó Sparr.

—Muchos lumpis han logrado huir.

—Y... —dijo Sparr.

—El rey Zello ha tenido un percance —interrumpió Keeah con la voz profunda y áspera de un guerrero nin.

—En cuanto al mago ese... ¿cómo se llama? —dijo Julie.

—¡Galen! —replicó Sparr con brusquedad.

—No esperes verlo durante una temporada —añadió Eric.

—Han cumplido bien su misión —dijo Sparr, esbozando una malévola sonrisa—. Ahora vayan a recoger diamantes con los demás.

Entonces se volteó hacia Bodo y Vasa.

Al acercarse Sparr, Vasa resopló.

—No te saldrás con la tuya, Sparr —dijo.

—Ah, sí, los Guardianes —contestó Sparr en tono burlón—. El último exponente de los pacíficos caballeros de Droon. Ustedes no representan la más mínima amenaza para mí. No son más que unos... fósiles.

Bodo achicó sus ojos de reptil y observó al brujo.

—La ciudad de Ro ha prosperado durante siglos bajo la túnica de la invisibilidad —dijo—. Bajo la túnica de la paz yace un enorme poder.

Lord Sparr palideció.

—Ya veremos lo poderosos que son cuando use sus diamantes para crear un ejército invisible —dijo el brujo, e hizo un chasquido con sus dedos.

Llegó otra cuadrilla de nins empujando un gran carro de madera cargado hasta el tope con los diamantes más transparentes y luminosos jamás vistos.

Eran diamantes mágicos.

—¿Los han recogido todos? —rugió Sparr.

—Todos no, mi señor —dijo uno de los nins, agachando la cabeza.

Eric volvió a mirarse las manos. Eran manos grandes, gordinflonas y con seis dedos cada una. Empezó a sentirse enfermo. Estaba mareado. Sentía calor y frío al mismo tiempo.

Le rugía el estómago.

Y empezó a sentir que la armadura le quedaba grande. ¡Estaba volviendo a ser él!

Miró a Julie, Neal y Keeah. Ellos también habían empezado a cambiar. En unos instantes dejarían de ser nins.

Eric carraspeó, a pesar de que su voz estaba empezando a cambiar.

—¿Qué sucede? —dijo Sparr, mirándolo de reojo.

—En fin... um... será mejor que vayamos

a echar un vistazo a esos gróguels —dijo Eric mientras se sujetaba los pantalones de cuero que se le empezaban a caer—. Como no les demos sus galletas se pondrán furiosos.

—¿Galletas? —preguntó Sparr.

—Así es —contestó Keeah, cuya voz ya no era tan grave como antes—. Luego iremos a buscar a esos entrometidos niños y a la Princesa. Ya sabe, la que es aprendiz de mago. Aunque tiene bastante poder, lograremos detenerla.

Eric miró fijamente a Neal. Le dio un golpecito. Su pie empezaba a transformarse en la pata de un insecto.

—¡Si encuentran a los niños, arrójenlos al vacío! —exclamó Sparr—. ¡Váyanse! ¡Pronto nos iremos de Ro!

Neal agarró a Eric, Julie y Keeah. Salieron por la puerta y corrieron hasta quedar sin aliento.

—Bodo y Vasa podrían habernos advertido que teníamos un límite de tiempo —dijo Eric, ya lejos de la sala de los Guardianes.

—Tenemos que dividirnos —dijo Julie mordiéndose el labio—. Ustedes vayan a la Torre y busquen el remedio para Neal. Yo veré si puedo hallar la manera de ayudar a Bodo y Vasa. Adelante, nos vemos en los escalones de la entrada dentro de una hora.

—Media hora —dijo Keeah—. Ro está a punto de desaparecer. ¡Miren!

Todos se quedaron mirando por la ventana de la sala. Fuera del palacio todo estaba tomando un tono azul marino. La luna brillaba envuelta en nubes blanquecinas.

—Es casi medianoche —dijo Keeah—. Apenas queda tiempo.

—Yo iré con Julie —dijo Neal—. Puede que mis instintos de insecto nos ayuden a evitar a los nins. A los nins de verdad, claro.

—Neal, muy pronto volverás a ser el que eras —dijo Eric mientras le daba una palmadita en la espalda. Esto lo hizo enmudecer. La espalda de Neal era dura como una piedra.

Eric tragó saliva.

Neal estaba peor, mucho peor.

—Adelante, Keeah —dijo Eric—. ¡Vamos a la Torre!

El grupo se dividió. Mientras escuchaban los pasos de los nins, Eric y Keeah se escabulleron hacia las profundidades del palacio.

Hacia la inmensa Torre de la Memoria.

Siete

Escrito en piedra

La Torre de la Memoria era una enorme espiral de piedras que ascendía hacia las nubes.

Eric y Keeah pasaron a un amplio patio interior y miraron hacia arriba. Ahí estaba.

—¡Es enorme! —susurró Eric.

La torre estaba formada por filas y filas de ladrillos grises que ascendían en espiral hacia el firmamento.

—¿Tienes los símbolos de cada uno de

nuestros nombres? —dijo Keeah al ver una pequeña abertura en la torre.

—Sí —dijo Eric, y sacó del bolsillo los papeles cuadrados con los nombres de sus amigos y el suyo propio—. Adelante.

Entraron por la abertura.

El interior de la torre era un espacio vacío y silencioso. Solo se oía un leve rasguño en la pared, procedente de la parte más alta.

Eric alzó la mirada. Allí, apenas visible entre la bruma de la noche, sobre la última fila de ladrillos, se encontraba Quill, la pluma mágica. Escribía rápidamente una palabra tras otra sobre las piedras, de repente se detenía y luego volvía a escribir con mayor velocidad.

Cuando no había más espacio para escribir, aparecía como por arte de magia un nuevo ladrillo junto al último. Y luego otro.

—¡Qué cosa más rara! —dijo Eric en

voz baja—. La torre se construye sola. Y cada vez es más alta.

—¡Quill escribe lo que nos pasa a cada uno! —dijo Keeah—. Todo lo que ha sucedido en Droon está aquí.

—Y también algunas cosas que están por venir.

Eric dio una vuelta completa, siguiendo con la mirada las filas de ladrillos de color plomizo. Buscaba los extraños símbolos que los Guardianes les habían dado.

Keeah suspiró repentinamente.

—¿Qué? —preguntó Eric, dando una vuelta hacia ella.

—¡El símbolo de mi madre! —dijo ella mientras se acercaba a un muro cercano—. ¡Y el de Sparr! Ya los veo. ¡Eso debe de ser la batalla de Plud!

Empezó a escribir aquellas extrañas palabras con el lápiz que le había entregado Bodo.

Eric vio entonces su propio nombre en la pared.

—¡Ahí, mira! —exclamó.

Junto a su nombre estaban los de Julie y Neal. Leyó hacia abajo para ver si los nombres aparecían antes. Nada. Sus nombres aparecían muchas veces en la parte de arriba. Levantó la vista hasta donde podía leer. Los nombres aparecían en todas las filas de arriba hasta bien lejos.

¿Aparecían los nombres en el futuro?

¿Tendrían él y sus amigos muchas más aventuras en Droon? Eric deseaba poder leer la fila más alta y averiguar lo que les depararía el futuro. Él también empezó a escribir aquellas extrañas palabras para que las descifraran los Guardianes.

Keeah susurró unas palabras para sí misma. Eric se volteó y la vio salir de la Torre en silencio.

Cuando se disponía a llamarla, se detuvo

en seco. Notó que se le erizaba el pelo de la nuca. Presentía que había alguien más en la Torre.

Eric dio la vuelta lentamente. Allí, en el centro de la Torre, había una silueta oscura. Era un hombre.

Eric enmudeció.

El hombre era Lord Sparr.

Sparr estaba inmóvil y leía las paredes de la Torre, murmurando las palabras para sí mismo. Y mientras lo hacía, los ojos se le llenaron de lágrimas que brillaban bajo el rayo de luz lunar que entraba desde lo alto de la Torre.

Una lágrima se deslizó por la mejilla del brujo. Se la quitó al instante de un manotazo. Al caer al frío empedrado, la lágrima se evaporó. *¡Ssss!*

—¡Oh! —susurró Eric.

De pronto, Quill empezó a escribir sobre

las piedras a gran velocidad. Entonces Eric recordó lo que le dijeron los Guardianes.

A veces, Quill escribe tan rápido que escribe lo que no ha ocurrido todavía.

Sparr fijó la mirada en un punto en lo alto de la Torre.

Ante los ojos de Eric, Sparr se elevó hasta la parte más alta.

Quill escribía cada vez más rápido. Apenas tardaba un instante en completar cada ladrillo.

Eric lo sabía. Quill estaba relatando el futuro.

Sparr no tardó en regresar.

Eric estaba paralizado, no podía ni respirar. Sentía que Sparr llevaba horas y horas ante él.

Entonces el brujo emitió un sonido extraño, como si estuviera quedándose sin aliento.

Y a partir de ese sonido salió una sola palabra.

—Hielo.

Sparr empezó a reírse en voz baja.

Eric sentía que estaba a punto de explotar. Tenía que estornudar. Luego le dieron ganas de toser. Pensó que no podría seguir oculto ni un segundo más, pero sabía que debía guardar silencio. De lo contrario, Sparr daría con él y lo destruiría. *¡Cataplof!*

En ese preciso instante, un rayo de luz lunar entró por la abertura superior de la Torre. Eric se pegó a la pared, pero el haz de luna se desplazaba hacia él.

Sparr se volteó hacia el muchacho. Una luz roja refulgía en sus ojos.

Sparr vio a Eric. ¡Lo miró fijamente!

¡Clomp! ¡Clomp! Una tropa de nins entró en la Torre.

—Ha llegado la hora —dijo uno de ellos.

Una nube cubrió la luz de la luna y Eric volvió a quedar oculto en la oscuridad.

—Ya tengo lo que había venido a buscar —dijo Sparr, y asintió en silencio.

Sparr seguía mirando fijamente a Eric. ¡Podría haberlo destruido en un instante!

¿Por qué no lo hizo?

¿Por qué?

¿Por qué se envolvió Sparr en su capa negra y abandonó la Torre sin más?

Ocho

Neal y compañía

¡Clomp! ¡Clomp! Los nins se alejaron por los pasillos y salieron del palacio. Sparr se fue con ellos.

Keeah entró corriendo en la Torre.

—¡Eric! —exclamó—. Me asusté mucho al ver que no me seguías.

—No me podía mover —dijo Eric—. Sparr me ha visto pero me ha dejado ir.

Keeah abrió los ojos como platos.

—Eric, tenemos que ir a ver a los

Guardianes cuanto antes —dijo—. Ro está a punto de desaparecer, y si eso sucede, nosotros desapareceremos también.

Los dos amigos corrieron hacia la sala de los Guardianes. Los nins ya no estaban. Vasa y Bodo estaban libres.

—Neal y Julie fueron a ver adónde se ha llevado Sparr los diamantes —dijo Vasa sin perder ni un instante—. ¿Qué han averiguado en la Torre?

Keeah les extendió el papel con la mano temblorosa.

—Ah, los secretos del pasado de Droon —dijo Bodo.

Vasa se asomó por detrás de su hombro y empezó a traducir las palabras escritas por Keeah.

—En la ciudad de Plud, Lord Sparr estuvo a punto de matar a la monarca Relna.

—Sin embargo —continuó Bodo—, la bruja Demither puso una maldición sobre

Relna. En vez de morir, la reina fue convertida en un animal.

—¿Un animal? —preguntó Keeah—. ¿No será un...?

—Sí —dijo Bodo—. Un pájaro blanco. Un halcón.

—¡Lo sabía! —exclamó Keeah saltando de alegría—. ¡Por eso siempre está ahí! ¡Es mi madre que me sigue y me protege!

—Un momento —dijo Eric—. Demither nos dijo que Relna estaba en la cárcel.

—Así es —respondió Vasa—. Esa maldición es como estar en la cárcel. El caso es que la reina solamente podrá recuperar su forma humana con su ayuda. Se encuentra en un viaje plagado de peligros.

—Yo la ayudaré —dijo Keeah mientras se secaba una lágrima.

—Nosotros también —añadió Eric, sonriéndole a la Princesa.

Vasa miró entonces a Eric.

—¿Y tú? ¿Qué has averiguado? —dijo.

Eric tragó saliva y le dio su papel a Vasa.

—Sparr me ha visto —dijo—, pero se ha ido como si nada.

Bodo miró de reojo a Vasa. Luego miró con sus lentes a Eric.

—Formula tu pregunta —le dijo.

—Quería saber si lo que escribe Quill *tiene* que pasar. Si es posible *cambiar* el futuro.

—No lo sabremos hasta que el futuro se haga presente —dijo Bodo.

—Entonces... —dijo Eric frunciendo el ceño.

En ese instante Julie y Neal llegaron corriendo a la sala.

—¡Están cargando los diamantes en la nave de Sparr! —dijo Julie casi sin aliento—. Parece que se dispone a abandonar la ciudad.

—¡Y mírenme! —dijo Neal levantando la mano—. ¡Estoy muchísimo peor!

El muchacho levantó las manos, que se habían convertido en garras.

—¡Rápido, Neal, ponte aquí! —dijo Vasa, poniendo las notas de Eric a la luz. Y entonces los Guardianes y Keeah empezaron a pronunciar estas extrañas palabras—: Timbo... limbo... ¡cuu-quimbo!

¡Puumf! Una enorme bola de humo apareció en la sala. Un instante después, Neal salió de ella.

Tenía un aspecto normal. Levantó sus dos manos de muchacho. Aún tenía rotos los zapatos, pero por las puntas no salían garras sino dedos. Apareció una gran sonrisa en su cara.

—¡Sí! —gritó—. ¡Vuelvo a ser yo!

—Yo también —gritó otra voz.

Todos se voltearon y vieron que otro

Neal, idéntico al anterior, surgía de la nube de humo.

—¡Oh, no! —se lamentó Keeah.

Los dos Neals caminaban por la sala.

¡Neals gemelos!

—Ah, sí —dijo Vasa—. Es un efecto secundario del encantamiento, pero no se preocupen. Es temporal.

—Siempre he pensando que dos Neals son mejor que uno —dijo el primero de ellos sin abandonar su sonrisa.

—Choca esa mano, hermano —dijo el segundo.

¡Rrrrr! Los muros empezaron a temblar.

—Ro vuelve a la invisibilidad —dijo Bodo—. Apúrense. ¡Ese es el camino más corto! —añadió, apuntando hacia una puerta secreta de la sala.

—Lleva a la plaza —dijo Vasa—. ¡Buena

suerte a todos! Que encuentres a tu madre, Princesa. Buen viaje, Neal.

—¡Gracias! —dijo Neal.

—Lo mismo les digo —dijo el otro guardián.

Eric, Keeah, Julie y los dos Neals corrieron hacia la puerta que conducía al exterior del palacio.

¡Clomp! ¡Clomp! La plaza estaba infestada de nins. Estaban apilando los diamantes en la bodega de la nave plateada de Sparr.

—Tenemos que recuperarlos —dijo Keeah.

—Y tenemos que averiguar por qué me dejó escapar Sparr —susurró Eric.

—¿Alguien tiene un plan? —preguntó Julie.

—¡Yo tengo un plan! —resonó una voz profunda y familiar desde las sombras—.

¿Qué les parece si formamos un muro humano y entramos por la fuerza?

—¿Quién... quién ha hablado? —susurró Keah.

De entre las sombras salió un hombre corpulento con una resplandeciente armadura verde. Tenía un casco con dos cuernos y llevaba dos mazas de madera.

—¡Guau! —exclamó un Neal.

—¡Un vikingo! —gritó el otro.

—No, es mi padre —exclamó Keeah, que corrió hacia el hombre y le dio un fuerte abrazo. Estaba loca de alegría.

—¡Les presento a mi padre, el rey Zello!

—Khan me encontró —dijo el Rey, esbozando una enorme sonrisa—. También han venido Max y Galen.

El viejo mago salió de entre las sombras. Iba vestido con una larguísima túnica azul.

—Me alegro de que estén sanos y salvos, niños —dijo, y observó a los dos Neals—. ¡Todos ustedes!

Max, el ayudante arácnido de Galen, se acercó a ellos.

—Ya han aparecido las escaleras mágicas en el Valle de Kalahar —dijo—. Debemos apresurarnos.

En ese momento, el aire que los rodeaba se onduló como por arte de magia. El empedrado de la plaza empezó a vibrar y a volverse transparente.

—¡Está sucediendo! —gritó Max mientras describía un círculo alrededor de los niños—. ¡La ciudad flotante de Ro ha empezado a desaparecer!

—¡Niños! —exclamó el rey Zello, levantando sus mazas de madera—. Ustedes vayan a la nave. Galen y yo distraeremos a los nins. ¡Yijaaa!

Los nins, que se dirigían a la nave, se

dieron la vuelta. Gruñeron y corrieron hacia la plaza.

—¡Todos a la nave de Sparr! —les dijo Eric a sus amigos—. ¡Ahora!

Los cuatro amigos corrieron hacia la puerta de la bodega.

Saltaron hacia dentro.

¡Clanc! La puerta gigante de la nave de Sparr se cerró tras ellos.

Nueve

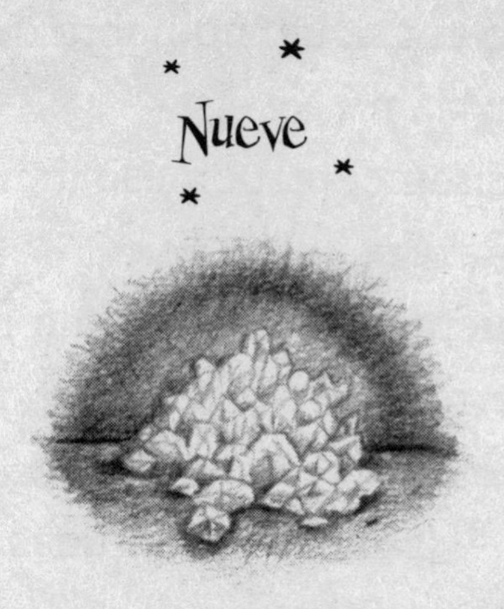

¡Montañas de diamantes!

Los niños se incorporaron de un brinco y miraron a su alrededor.

—¡Guau! —susurró Julie.

Estaban rodeados de montones y montones de diamantes increíbles y resplandecientes.

—Estos son los diamantes con los que Sparr espera formar un ejército invisible de guerreros nin —dijo Keeah.

—Si lo consigue, no habrá quien lo detenga —exclamó Neal.

—Precisamente por eso tenemos que detenerlo ahora —dijo Eric.

—La verdad es que no me gusta nada estar encerrado en la nave personal de Sparr —dijo uno de los Neals con una mueca de disgusto—. ¡Hace tan solo unas horas que intentábamos escapar de aquí!

—Pues sí, ¿pero no crees que deberíamos evitar que despegue la nave? —preguntó el otro Neal.

De pronto empezaron a estremecerse las paredes.

—Estamos despegando —dijo Keeah.

—¡Tengo una idea! —exclamó el primer Neal, y salió corriendo hacia el primer pasillo que encontró.

—¿Adónde vas? —preguntó el segundo Neal.

No hubo respuesta.

—¡Caramba, este chico nunca me hace caso! —protestó Neal.

Entonces, tal y como sucedió en la Torre de la Memoria, Eric presintió que no estaban solos. Se dio la vuelta.

—¿Me buscabas? —dijo una voz.

Lord Sparr entró en la bodega de la nave.

Eric se acercó hacia él lentamente. Las aletas que Sparr tenía detrás de las orejas cambiaron de moradas a negras. Tenía un temible gesto de ira en el rostro.

—Princesa Keeah, ve despidiéndote de tu amado mundo. He leído el futuro, ¡y Droon será todo mío! —dijo el brujo. Luego levantó la mano y una luz roja empezó a fluir de las puntas de sus dedos.

Keeah trató de apartarse de un salto, pero resbaló. Sin pensarlo dos veces, Eric saltó delante de ella.

—¡Cuidado! —gritó Neal, poniéndose delante de los dos.

En ese mismo momento, el otro Neal llegó corriendo.

—¿Cómo? ¿Que un tipo con orejas de merluza va a maltratar a mis amigos? ¡Eso nunca! —Y se puso delante de los demás.

Sparr disparó un haz de luz contra ellos.

¡Zzzz! ¡Puumf! El aire se puso rojo.

En el instante en que Eric apartó a Keeah de un empujón, los dos Neals chocaron uno contra el otro.

Sparr corrió a toda prisa hacia las entrañas de la nave.

—¡Te atraparé! —gritó Eric. Se puso de pie y salió a perseguir al brujo por el pasillo. Corrió hasta la cabina de control, donde se detuvo bruscamente. Sintió una corriente de aire frío. Sparr estaba frente a la compuerta de la nave, que estaba abierta de par en par.

—¡Ni un paso más! —dijo el brujo.

Aunque sus ojos ardían de odio, no quiso hacerle daño a Eric.

—Me estás perdonando la vida, ¿verdad? —dijo Eric—. ¿Por qué? ¿Para qué? ¡Dímelo!

—Por lo que está a punto de pasar —dijo Sparr mientras se dibujaba una malévola sonrisa en su rostro—. Porque tú... ¡me ayudarás!

—¿Qué? —gritó Eric—. ¡Jamás te ayudaré!

—El tiempo lo dirá —dijo el brujo antes de sujetar su capa y saltar desde la plataforma.

Eric se precipitó hacia la compuerta y pudo ver que Sparr abría su capa y flotaba, acercándose al suelo.

—¡Jamás te ayudaré! —exclamó Eric con el viento en la cara.

Al regresar a la bodega, todo el mundo estaba desolado.

—¡Qué tristeza! —decía Neal—. Esto es tremendo.

—¿Neal? —preguntó Eric—. ¿Dónde está tu otro tú?

—Cuando Sparr nos lanzó el rayo, nos fundimos en uno —dijo—. Ahora no hay sino un yo. Ya soy normal.

—¡Yupiii! —Eric dio un brinco de alegría—. ¿Solo tú? ¡Eres el único tú! ¡Qué bien! ¡Qué alegría!

—Estaría alegre de no ser... —Neal frunció el ceño.

—¿De no ser qué? —preguntó Eric.

—Por lo que me dijo...

—¿Por lo que te dijo quién?

—El otro Neal. Justo antes de que nos convirtiéramos en *uno*.

—¿Qué te dijo? —gritó Eric.

—Que le hizo algo a la nave.

¡CA-BUUUUM! Una terrible explosión hizo temblar las paredes y arrojó a los

chicos al piso. Se veían llamas por fuera de la nave. La bodega se empezó a llenar de humo.

—¡Eso! —gritó Neal mientras buscaba algo de donde agarrarse—. Eso es lo que hizo el otro Neal para que Sparr no pudiera huir.

—Por desgracia, le ha salido mal —dijo Julie.

La nave dio otro brinco y esta vez empezó a caer en picada.

—Ay, no —dijo Eric—. Me temo que estamos descendiendo.

—No cabe la menor duda —dijo Keeah—. Caemos en picada.

Neal frunció el ceño.

—¿Listos para *cataplof*? —dijo.

Diez

El poder del brujo

El morro de la nave gigante de Sparr se inclinó aun más hacia el suelo.

—¡Vamos a estrellarnos! —gritó Neal.

—No nos vamos a estrellar —contestó Eric—. Sparr pudo habernos destruido y no lo hizo. Leyó el futuro en la Torre de la Memoria y nos ha dejado vivir. Saldremos adelante de algún modo, lo prometo.

La nave se precipitaba cada vez más rápido.

—Sí, pero... ¿cómo? —preguntó Julie.

¡Brrr! ¡Brrr! En ese instante apareció en la bodega una pequeña avioneta de color morado.

—¡Son papá, Khan, Max y Galen! —gritó Keeah—. ¡Nos han seguido!

—Ya les dije que todo saldría bien —dijo Eric sonriendo.

Julie gateó sobre los montones de diamantes y pulsó un botón en la pared.

¡Fiuuss! Se abrió una puerta.

—Es la Plataforma de Despedida —dijo la muchacha.

Todos salieron de la nave. Contemplaron la noche, que era de un azul intenso. Khan acercaba su avioneta lo más cerca posible, tratando de evitar las llamas.

—Muchachos, ahora o nunca —dijo Neal.

Los cuatro amigos se agarraron con fuerza de las manos y saltaron de la plataforma en llamas. Cayeron en la mismísima cabina de la avioneta.

—¡Ya están a salvo! —dijo el rey Zello mientras abrazaba a su hija con fuerza.

¡Brrr! Khan ascendió lo más rápidamente posible para alejarse de la gigantesca nave en llamas que se precipitaba al vacío.

No lejos de allí, entre las nubes, empezaban a desaparecer las últimas huellas de Ro. Los habitantes reptilianos de la ciudad se congregaron en la plaza para despedirse de la avioneta morada.

—¡Adiós, Guardianes! —exclamó Neal—. ¡Adiós pueblo de Ro! ¡Muchas gracias!

De pronto... *¡Ca-buuum!*... la nave plateada de Sparr se estrelló contra un cerro nevado. La explosión fue descomunal. Una nube de humo negro ascendía de la nave accidentada.

En ese instante, también se vio una intensa luz blanca que brillaba desde la

ciudad evanescente. Aquella luz empezó a centellear, y los diamantes, millones de ellos, salieron de la nave en llamas de Sparr, elevándose.

—¡Lo consiguieron! —dijo Julie—. ¡Ya tienen los diamantes!

Poco después, Ro se dirigió hacia el intenso resplandor de la luna llena y desapareció.

—¡Un momento! ¡Casi se me olvida! —dijo Eric—. Sparr leyó en la Torre de la Memoria una inscripción en la parte más alta y luego pronunció la palabra "hielo".

—Seguro que Sparr está planeando una nueva maldad contra nuestro mundo —dijo Galen con un gesto de preocupación—. Bien hecho, Eric, bien hecho. El tiempo nos dirá el significado de esa pista, pero hay algo de lo que no cabe duda: el poder de Sparr es cada vez mayor. Estén atentos y tengan mucho cuidado...

—¡Miren! ¡Miren! —dijo Max desde el asiento trasero—. ¡Allá! ¡Las escaleras con los colores del arco iris!

Khan descendió hacia el Valle de Kalahar y se aproximó a las escaleras mágicas.

Eric, Julie y Neal saltaron enseguida al primer escalón. Se quedaron mirando a Keeah.

—Volveremos —le aseguró Eric—. No lo dudes.

—Droon tiene suerte de contar con amigos como ustedes —dijo Keeah—. Y yo soy afortunada de tenerlos como amigos.

—Cuando quieras, Princesa —dijo Neal—. Siempre estaremos a tu disposición.

—Iremos adonde nos lleven las escaleras —añadió Julie.

—¡Que la magia nos acompañe! —dijo Keeah.

Los chicos vieron que la avioneta

morada de Khan rodeaba las escaleras y ascendía hacia las nubes.

Los amigos corrieron escaleras arriba hacia el cuartito. Antes de entrar, echaron un último vistazo al firmamento de Droon.

El vendaval dio paso a la calma.

Por un instante, Droon parecía un mundo de paz.

Al menos en apariencia.

Eric encendió la luz.

¡Fiuuuusss! Las escaleras mágicas desaparecieron y volvió a aparecer el suelo de cemento.

Neal abrió la puerta y pasaron al sótano. El reloj del banco de herramientas apenas se había movido. Sólo se habían ausentado unos minutos.

—Parece como si hubiéramos pasado años en Droon —dijo Eric sin quitar la mirada de la puerta que había debajo de las escaleras.

—Estoy realmente agotado —dijo Neal bostezando—. Y a pesar de todo, ya tengo ganas de volver. Es más, ¡me *muero* por volver!

—Y yo espero que no pase mucho tiempo —dijo Julie—. A lo mejor conseguimos detener a Sparr. Quizás ayudemos a Keeah a encontrar a su madre. ¡Eso sería fabuloso!

—Quizás —dijo Eric mientras subían a la cocina. Y entonces recordó las palabras de Galen:

Estén atentos y tengan cuidado...

Eric tembló al pensar en todas las cosas malas que podrían suceder.

De pronto sintió un sudor frío.

Frío como el hielo.

SOBRE EL AUTOR

Tony Abbott ha escrito más de 25 novelas entretenidas para jóvenes lectores, entre las que se destacan los conocidos libros de *Danger Guys* y la serie *The Weird Zone*. Desde que era niño, se sentía atraído por los relatos que desafían la imaginación y, al igual que Eric, Julie y Neal, suele soñar con puertas hacia otros mundos. Ahora que es mayor —aunque no tanto como Galen Barbalarga— cree haber encontrado algunas de esas puertas: los libros. Tony Abbott nació en Ohio y actualmente vive con su esposa y sus dos hijas en Connecticut.